Diogenes Kinder Taschenbuch 29

Das kleine Kinderliederbuch

Einundfünfzig deutsche Kinderlieder,
gesammelt von
Anne Diekmann
mit vierzig Bildern von
Tomi Ungerer

Diogenes

Auswahl aus »Das große Liederbuch«,
204 deutsche Volks- und Kinderlieder,
gesammelt von *Anne Diekmann,*
unter Mitwirkung von *Willi Gohl,*
mit 156 bunten Bildern von *Tomi Ungerer,*
Diogenes Verlag, Zürich 1975

Veröffentlicht als Diogenes Kinder Taschenbuch, 1979
Alle Rechte vorbehalten
Copyright © 1975, 1979 by
Diogenes Verlag AG Zürich
200/79/10/11
ISBN 3 257 25029 0

Alphabetisches Verzeichnis
der Liedanfänge

Wachet auf, wachet auf

Kanon zu 2 Stimmen
Melodie und Text: Johann Jakob Wachsmann (1791–1853)

Wa-chet auf, wa-chet auf, es kräh - te der Hahn, die Son - ne be - tritt ih - re gol - de - ne Bahn.

Im Märzen der Bauer

Volkslied aus Mähren
Melodieaufzeichnung
und Text: Walther Hensel (1887–1956)

1. Im Mär- zen der Bau - er die Röß - lein ein - spannt;
Er setzt sei - ne Fel - der und Wie - sen in - stand. Er pflü - get den

Bo- den, er eg- get und sät und rührt sei - ne Hän- de früh- mor-gens und spät.

Satz: W. Gohl

2. Die Bäurin, die Mägde, sie dürfen nicht ruhn,
sie haben im Haus und im Garten zu tun;
sie graben und rechen und singen ein Lied
und freun sich, wenn alles schön grünet und blüht.

3. So geht unter Arbeit das Frühjahr vorbei,
dann erntet der Bauer das duftende Heu;
er mäht das Getreide, dann drischt er es aus:
im Winter, da gibt es manch fröhlichen Schmaus.

Steht auf, ihr lieben Kinderlein

Melodie: Nikolaus Herman (1560)
Text: Erasmus Alber (um 1500–1553)

1. Steht auf, ihr lie - ben Kin - der- lein! Der Mor-gen- stern mit hel - lem

Steht auf! Der Mor- gen- stern mit

Schein läßt frei sich se - hen als ein Held und

hel - lem Schein als___ ein Held und

leuch - tet durch die gan - ze Welt.___

___ leuch - tet___ durch die gan - ze___ gan - ze___ Welt.

Satz: H. R. Witzig

2. Sei uns willkommen, lieber Tag,
vor dir die Nacht nicht bleiben mag.
Leucht uns in unsre Herzen fein
mit deinem himmelischen Schein.

Bruder Jakob

Bru - der   Ja - kob,   Bru - der   Ja - kob! Schläfst du   noch? Schläfst du   noch?

Hörst du nicht die Glok-ken, hörst du nicht die Glok-ken? Ding dang dong, ding dang dong!

Morgens früh um sechs

Melodie — Volkstümlich

1. Mor - gens früh um sechs kommt die klei - ne Hex.

Früh um sechs kommt die Hex.

1. Mor - gens, mor - gens früh um sechs, kommt die klei - ne klei - ne Hex.

Mor - gens früh um sechs kommt die klei - ne Hex.

Früh um sechs kommt die Hex.

Mor - gens, mor - gens früh um sechs kommt die klei - ne klei - ne Hex.

Frö - sche - bein und Krebs und Fisch, hur - tig Kin - der, kommt zu Tisch!

Frö - sche - bein und Krebs und Fisch, hur - tig Kin - der, kommt zu Tisch!

Frö - sche - bein und Krebs und Fisch, hur - tig Kin - der, kommt zu Tisch!

Satz: H.R. Witzig

2. Morgens früh um sieb'n
schabt sie gelbe Rüb'n.

3. Morgens früh um acht
wird Kaffee gemacht.

4. Morgens früh um neun
geht sie in die Scheun'.

5. Morgens früh um zehn
holt sie Holz und Spän'.

6. Feuert an um elf,
kocht dann bis um zwölf.

7. Fröschebein und Krebs und Fisch,
hurtig, Kinder, kommt zu Tisch!

Backe, backe Kuchen

Volkstümlich

Bak - ke, bak - ke Ku - chen, der Bäk - ker hat ge - ru - fen: Wer will gu - ten

Ku - chen bak - ken, der muß ha - ben sie - ben Sa - chen: Ei - er und Schmalz,

But - ter und Salz, Milch und Mehl, Saf - ran macht den Ku - chen gehl.

Schieb, schieb in' O - fen 'nein.

14

Hopp, hopp, hopp

Melodie: Karl G. Hering (1766–1853)
Text: Karl Hahn (?)

1. Hopp, hopp, hopp! Pferd-chen, lauf Ga-lopp! Ü-ber Stock und
ü-ber Stei-ne, a-ber brich dir nicht die Bei-ne! Hopp, hopp,
hopp, hopp, hopp! hopp hopp, Pferd-chen, lauf Ga-lopp! hopp, hopp.

Satz: A. Juon

2. Brr, brr, he!
Steh doch, Pferdchen, steh!
Sollst schon heut noch weiterspringen,
muß dir nur erst Futter bringen.
Brr, brr, brr, brr, he!
Steh doch, Pferdchen, steh!

Es klappert die Mühle am rauschenden Bach

Volkstümlich Anfang 19. Jhd.
Text: Ernst Anschütz (1824)

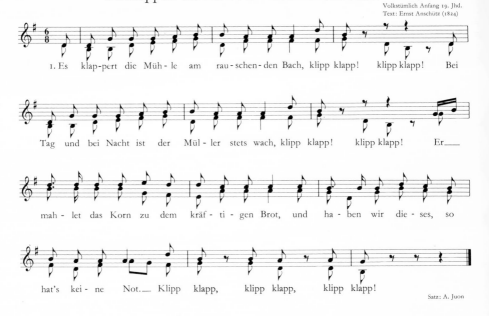

1. Es klap-pert die Müh - le am rau-schen-den Bach, klipp klapp! klipp klapp! Bei Tag und bei Nacht ist der Mül - ler stets wach, klipp klapp! klipp klapp! Er— mah - let das Korn zu dem kräf - ti - gen Brot, und ha - ben wir die - ses, so hat's kei - ne Not.— Klipp klapp, klipp klapp, klipp klapp!

Satz: A. Juon

2. Flink laufen die Räder und drehen den Stein,
klipp klapp!
Und mahlen den Weizen zu Mehl uns so fein,
klipp klapp!
Der Bäcker dann Zwieback und Kuchen draus bäckt,
Der immer den Kindern besonders gut schmeckt.
Klipp klapp, klipp klapp, klipp klapp!

3. Wenn reichliche Körner das Ackerfeld trägt,
klipp klapp!
Die Mühle dann flink ihre Räder bewegt,
klipp klapp!
Und schenkt uns der Himmel nur immerdar Brot,
so sind wir geborgen und leiden nicht Not.
Klipp klapp, klipp klapp, klipp klapp!

Eine kleine Geige möcht ich haben

Volksweise
Text: Hoffmann von Fallersleben (1798–1874)

Satz: H. R. Witzig

2. Eine kleine Geige klingt gar lieblich,
eine kleine Geige klingt gar schön!
Nachbars Kinder und unser Spitz
kämen alle wie der Blitz
und sängen und sprängen
gar lustig herum.

Ringel, Ringel, Reihe

Volkstümliches Spiellied
Text: Aus ›Des Knaben Wunderhorn‹

Rin - gel, Rin - gel, Rei - he, sind der Kin - der drei - e,

sit - zen auf dem Hol - ler - busch, schrei - en al - le »Husch, husch, husch.«*

*Alle Kinder setzen sich

Ich bin ein Musikante

Volkstümlich aus Schlesien

1.-4. (Einer): Ich bin ein Mu - si - kan - te und komm aus Schwa-ben - land.
(Alle): Wir sind auch Mu - si - kan - ten und komm'n aus Schwa-ben - land.

1. Ich kann auch

bla - sen, wir kön - nen auch bla - sen die Trom - pe - te, die Trom - pe - te:

Teng - teng - te - reng, teng - teng - te - reng, teng - teng - te - reng, teng - teng - te - reng teng-

teng - te - reng, teng - teng - te - reng, teng - teng - te - reng, teng - teng.

Satz: A. Juon

2. (Einer): Ich kann auch spielen,
(Alle): wir können können auch spielen
(Einer): die Violine,
(Alle): die Violine:
Sim sim serim, sim sim serim, . . .

3. (Einer): Ich kann auch schlagen,
(Alle): wir können auch schlagen
(Einer): die große Trommel,
(Alle): die große Trommel:
Pum pum perum, pum pum perum, . . .

4. (Einer): Ich kann auch spielen,
(Alle): wir können auch spielen
(Einer): die kleine Flöte,
(Alle): die kleine Flöte:
Tü tü tü tü, tü tü tü tü, . . .

I fahr, i fahr

Volkstümlich aus Ungarn (Posthornsignal)

I fahr, i fahr, i fahr mit der Post. Fahr mit der Schnek-ken-post,

die mir kan Kreu-zer kost, i fahr, i fahr, i fahr mit der Post.

Hänschen klein /Alles neu macht der Mai

Volkslied
2. Str.: H. A. von Kamp (1818)

Häns-chen klein geht al - lein in die wei - te Welt hin - ein. Stock und Hut steht ihm gut,

ist gar wohl - ge - mut. A - ber Mut - ter wei - net sehr, hat ja nun kein

Häns - chen mehr. Häns - chen klein geht al - lein in die Welt hin - ein.

Alles neu macht der Mai,
macht die Seele frisch und frei.
Laßt das Haus, kommt hinaus,
windet einen Strauß!
Rings erglänzet Sonnenschein,
duftend pranget Flur und Hain,
Vogelsang, Hörnerklang
tönt den Wald entlang.

Der Kuckuck und der Esel

Melodie: Carl Fr. Zelter (1810)
Text: Hoffmann von Fallersleben (1835)

Gesang

1. Der Kuk-kuck und der E - sel, die hat-ten ei - nen Streit, wer wohl am be - sten sän - ge, wer wohl am be - sten sän - ge, zur schö - nen Mai - en - zeit, __ zur schö - nen Mai - en - zeit.

Flöte oder Glockenspiel

Triangel

Xylophon

Geige oder Gitarre

gliss.

Satz: B. Zahner

2. Der Kuckuck sprach: »Das kann ich«
und fing gleich an zu schrein.
»Ich aber kann es besser«,
fiel gleich der Esel ein.

3. Das klang so schön und lieblich,
so schön von fern und nah.
Sie sangen alle beide:
»Kuckuck, kuckuck, i—a.«

23

Kein Hälmlein wächst auf Erden

Musik und Text: Albert Emil Brachvogel (1858)

Kein Hälmlein wächst auf Er - den, der Him-mel hat's be - taut, und kann kein Blümlein wer - den, die Son - ne hat's er - schaut. Wenn du auch tief be - klom - men in

Klavier

Wal- des- nacht al - lein, einst wird von Gott dir kom- men dein Tau und Son- nen-

schein! Dann sproßt, was dir in - des - sen als Keim im Her - zen lag, so

ist kein Ding ver - ges - sen, ihm kommt ein Blü - ten - tag.

Kuckuck, Kuckuck

Melodie: Aus Österreich (1817)
Text: Hoffmann von Fallersleben (1835)

Gesang
1. Kuckuck, Kuckuck, ruft aus dem Wald. Las - set uns sin - gen,

Stabspiel / Flöte

Xylophon / Metallophon / Gitarre oder Cello

tan - zen und sprin - gen! Früh - ling, Früh - ling wird es nun bald!

Satz: B. Zahner

2. Kuckuck, Kuckuck
läßt nicht sein Schrei'n:
Komm in die Felder,
Wiesen und Wälder!
Frühling, Frühling,
stelle dich ein!

3. Kuckuck, Kuckuck,
trefflicher Held!
Was du gesungen,
ist dir gelungen:
Winter, Winter
räumet das Feld.

Alle Vögel sind schon da

Melodie: Volkstümlich aus Schlesien
Text: Hoffmann von Fallersleben (1860)

1. Al - le Vö - gel sind schon da, al - le Vö - gel, al - le.

Welch ein Sin - gen, Mu - si - zier'n, Pfei - fen, Zwit-schern, Ti - ri - lier'n:

Früh - ling will nun ein - mar -schier'n, kommt mit Sang und Schal - le.

2. Wie sie alle lustig sind,
flink und froh sich regen.
Amsel, Drossel, Fink und Star
und die ganze Vogelschar
wünschen uns ein frohes Jahr,
lauter Heil und Segen.

3. Was sie uns verkünden nun,
nehmen wir zu Herzen:
Wir auch wollen lustig sein,
lustig wie die Vögelein
hier und dort, feldaus, feldein,
singen, springen, scherzen.

Das Wandern ist des Müllers Lust

Melodie: Karl Fr. Zöllner (1844)
Text: Wilhelm Müller (1818)

1. Das Wan-dern ist des Mül-lers Lust, das Wan-dern ist des Mül-lers Lust, das Wan-dern! Das muß ein schlech-ter Mül-ler sein, dem nie-mals fiel das Wan-dern ein, das Wan-dern, das Wan-dern, Wan-dern,

das Wan - - dern, das Wan-dern, das Wan-dern, das Wan - dern.

Satz: A. Juon

2. Vom Wasser haben wir's gelernt,
vom Wasser haben wir's gelernt, vom Wasser.
Das hat nicht Ruh' bei Tag und Nacht,
ist stets auf Wanderschaft bedacht,
Ist stets auf Wanderschaft bedacht, das Wasser.

3. Das sehn wir auch den Rädern ab,
das sehn wir auch den Rädern ab, den Rädern.
Die gar nicht gerne stille stehn
und sich am Tag nicht müde drehn,
und sich am Tag nicht müde drehn, die Räder.

4. Die Steine selbst, so schwer sie sind,
die Steine selbst, so schwer sie sind, die Steine.
Sie tanzen mit den muntern Reih'n
und wollen gar noch schneller sein,
und wollen gar noch schneller sein, die Steine.

5. O Wandern, Wandern meine Lust,
o Wandern, Wandern meine Lust, o Wandern!
Herr Meister und Frau Meisterin,
laßt mich in Frieden weiter ziehn,
laßt mich in Frieden weiter ziehn und wandern!

Wem Gott will rechte Gunst erweisen

Melodie: Theodor Fröhlich (1835)
Text: Joseph von Eichendorff (1826)

1. Wem Gott will rech - te Gunst er - wei - sen, den schickt er in die wei - te Welt,

dem will er sei - ne Wun-der wei - sen in Berg und Tal und Strom und Feld.

Satz: W. Gohl

2. Die Bächlein von den Bergen springen,
die Lerchen schwirren hoch vor Lust;
was sollt' ich nicht mit ihnen singen
aus voller Kehl' und frischer Brust?

3. Den lieben Gott laß ich nur walten;
der Bächlein, Lerchen, Wald und Feld
und Erd und Himmel will erhalten,
hat auch mein Sach' aufs best' bestellt.

Trarira, der Sommer, der ist da

Volkstümlich aus der Rheinpfalz

1. Tra - ri - ra, der Som-mer, der ist da! Wir woll'n hin-aus in'n Gar-ten und
Tra - ri - ra Wir

woll'n des Som-mers war - ten! Ja, ja, ja, der Som-mer, der ist da!

Tra - ri - ra,

Satz: H. R. Witzig

2. Trarira, der Sommer, der ist da!
Wir wollen hinter die Hecken
und woll'n den Sommer wecken.
Ja, ja, ja, der Sommer, der ist da!

3. Trarira, der Sommer, der ist da!
Der Winter ist zerronnen,
der Sommer hat begonnen.
Ja, ja, ja, der Sommer, der ist da!

Summ, summ, summ, Bienchen

Melodie: Volkstümlich aus Böhmen
Text: Hoffmann von Fallersleben (1860)

1. Summ, summ, summ, Bien-chen, summ her-um. Ei, wir tun dir nichts zu Lei-de,

flieg nur aus in Wald und Hei-de. Summ, summ, summ, Bien-chen, summ her-um!

2. Summ, summ, summ, Bienchen, summ herum.
Kehre heim mit reicher Habe,
bau uns manche volle Wabe.
Summ, summ, summ, Bienchen, summ herum!

Hejo! Spannt den Wagen an

Melodie: Nach einem englischen Kanon
Text: Mündlich überliefert

Kanon zu 3 Stimmen

He - jo! Spannt den Wa - gen an, seht, der Wind treibt Re - gen ü - ber's

Land! Holt die gold - nen Gar - ben, holt die gold - nen Gar - ben!

Es war eine Mutter

Volksweise aus Baden

Satz: B. Zahner

2. Der Frühling bringt Blumen, der Sommer bringt Klee,
der Herbst, der bringt Trauben, der Winter bringt Schnee.

3. Das Klatschen, das Klatschen, das muß man verstehn,
da muß man sich dreimal im Kreise umdrehn.

Spielanweisung: Ein Kind steht in der Mitte. Vier andere Kinder gehen während der ersten Strophe links,
während der zweiten rechts um das erste herum. Beim 1. Teil der dritten Strophe klatscht das Kind in der Mitte in die Hände,
beim 2.Teil drehn sich die anderen dreimal auf der Stelle.

Alle meine Entchen

Volkstümlich

Al - le mei - ne Ent - chen schwim-men auf dem See, schwim-men auf dem

See, Köpf - chen in das Was - ser, Schwänz-chen in die Höh.

Fuchs, du hast die Gans gestohlen

Volksweise
Text: Ernst Anschütz (1824)

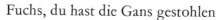

1. Fuchs, du hast die Gans ge-stoh-len, gib sie wie-der her, gib sie wie-der her. Sonst wird dich der Jä-ger ho-len mit dem Schieß-ge-wehr.____ Sonst wird dich der Jä-ger ho-len mit dem Schieß-ge-wehr.

2. Seine große lange Flinte
schießt auf dich das Schrot;
daß dich färbt die rote Tinte,
und dann bist du tot.

3. Liebes Füchslein, laß dir raten,
sei doch nur kein Dieb;
nimm, statt mit dem Gänsebraten,
mit der Maus vorlieb.

Es tanzt ein Bi-Ba-Butzemann

Volkslied

Es tanzt ein Bi - Ba - But - ze - mann in un - serm Haus her - um, di - del - dum

Es tanzt ein Bi - Ba - But - ze - mann in un - serm Haus her - um.

Er tanzt im Haus her - um.

Es tanzt ein But - ze - mann im Haus her - um, di - del - dum

um. *fine*

um. Er rüt - telt sich und schüt - telt sich, er wirft sein Säck-lein hin - ter sich.

um.

um.

d.c. al fine

Satz: H. R. Witzig

Taler, Taler, du mußt wandern

Volkstümliches Spiellied

Ta - ler, Ta - ler, du mußt wan-dern von der ei - nen Hand zur an-dern.

Das ist schön, das ist schön, Ta - ler, laß dich nur nicht sehn!

Satz: H. R. Witzig

Auf unsrer Wiese gehet was

Ein Rätsel

Volksweise
Text: Richard Löwenstein (?)

1. Auf uns - rer Wie - se ge - het was, wa - tet durch die Sümp - fe. Es hat ein

schwarz- weiß Röck - lein an, trägt auch ro - te Strümp - fe, fängt die Frö - sche

schnapp, schnapp, schnapp, klap - pert lu - stig klap-per- di - klapp. Wer kann es er - ra - ten?

2. Ihr denkt, das ist der Klapperstorch,
watet durch die Sümpfe.
Er hat ein schwarzweiß Röcklein an,
trägt auch rote Strümpfe,
fängt die Frösche schnapp, schnapp, schnapp,
klappert lustig klapperdiklapp.
Nein, das ist Frau Störchin!

Gretel, Pastetel

Volkstümlich

Als Frage- und Antwortspiel

1. Gre-tel, Pa - ste-tel, was ma-chen die Gäns? Sie sit-zen im Was-ser und wa-schen die Schwänz.

2. Gretel, Pastetel, was macht eure Kuh?
Sie stehet im Stalle und macht immer »muh«.

3. Gretel, Pastetel, was macht euer Hahn?
Er sitzt auf der Mauer und kräht, was er kann.

Ein Männlein steht im Walde*

Volksweise vom Niederrhein
Text: Hoffmann von Fallersleben (1860)

1. Ein Männ-lein steht im Wal - de ganz still und stumm, es hat von lau-ter Pur - pur ein Mänt - lein um. Sagt, wer mag das Männ - lein sein, das da steht im Wald al - lein mit dem purpur - ro - ten___ Män - te - lein?

*Das Rätsel von der Hagebutte

Satz: B. Zahner

2. Das Männlein steht im Walde auf *einem* Bein,
und hat auf seinem Haupte schwarz Käpplein klein.
Sagt, wer mag das Männlein sein,
das da steht im Wald allein
mit dem kleinen schwarzen Käppelein?

O du lieber Augustin

Volkstümlich

Klavier

O du lie-ber Au - gu-stin, Au - gu-stin,

Au - gu-stin, o du lie-ber Au - gu-stin, al - les ist hin. Geld ist weg, Mäd'l ist weg,

hin, hin

al - les weg, al - les weg. O du lie-ber Au - gu-stin, al - les ist hin.

weg, weg, weg.

Satz: H. R. Witzig

Ich geh mit meiner Laterne

Volkstümlich aus Norddeutschland (Hamburg)

Ich geh mit mei-ner La-ter - ne und mei-ne La-ter-ne mit mir.
Dort o - ben leuch-ten die Ster - ne, hier un - ten, da leuch. - ten wir.

Mein Licht ist aus, wir gehn nach Haus. La - bim-mel, la-bam-mel, la - bum.

Laterne, Laterne

Volkstümliches Martinslied

La - ter - ne, La - ter - ne, Son - ne, Mond und Ster - ne, bren - ne auf, mein Licht, bren - ne

auf, mein Licht, a - ber nur mei - ne lie - be La - ter - ne nicht. ter - ne nicht.

Will ich in mein Gärtlein gehn

Volksweise aus Holstein
Text: Aus ›Des Knaben Wunderhorn‹

1. Will ich in mein Gärt-lein gehn, will mein' Zwie-beln gie-ßen,

steht ein buck-lig Männ-lein da, fängt als an zu nie-sen.

8. »Lie-bes Kind-lein, ach, ich bitt', bet' für's buck-lig Männ-lein mit.«

2. Will ich in mein Küchel gehn,
will mein Süpplein kochen;
steht ein bucklicht Männlein da,
hat mein Töpflein brochen.

3. Will ich in mein Stüblein gehn,
will mein Müßlein essen;
steht ein bucklicht Männlein da,
hat's schon halber gessen.

4. Will ich auf mein' Boden gehn,
will mein Hölzlein holen;
steht ein bucklicht Männlein da,
hat mir's halber g'stohlen.

5. Will ich in mein' Keller gehn,
will mein Weinlein zapfen;
steht ein bucklicht Männlein da,
tut mir 'n Krug wegschnappen.

6. Geh ich in mein Kämmerlein,
will mein Bettlein machen;
steht ein bucklicht Männlein da,
fängt als an zu lachen.

7. Wenn ich an mein Bänklein knie,
will ein bißlein beten;
steht ein bucklicht Männlein da,
fängt als an zu reden:

Als unser Mops ein Möpschen war

Volksweise
Text: Hoffmann von Fallersleben (1860)

1. Als un - ser Mops ein Möpschen war, da konnt' er freundlich sein, jetzt brummt er al - le Ta - ge und bellt noch o - ben-drein, hei - du, hei - du, hei - dal - la - la und bellt noch o - ben-drein, jetzt brummt er al - le Ta - ge und bellt noch o - ben-drein.

2. »Du bist ein recht verzogen Tier!
Sonst nahmst du, was ich bot.
Jetzt willst du Leckerbissen
und magst kein trocken Brot,
heidu, heidu, ...«

3. Zum Knaben sprach der Mops darauf:
»Wie töricht sprichst du doch!
Hätt'st du mich recht erzogen,
wär ich ein Möpschen noch,
heidu, heidu, ...«

Hänsel und Gretel

Melodie: Mündlich überliefert

1. Hän - sel und Gre - tel ver - lie - fen sich im
Es war so fin - ster und auch so bit - ter

Wald. kalt. Sie ka - men an ein Häus - chen von Pfef - fer - ku - chen

fein.___ Wer mag der Herr wohl in die - sem Häus - chen sein?

Klavier

Satz: H. R. Witzig

2. Hu, Hu, da schaut' eine alte Hexe raus!
Lockte die Kinder ins Pfefferkuchenhaus.
Sie stellte sich gar freundlich, o Hänsel, welche Not!
Ihn wollt' sie braten im Ofen braun wie Brot!

3. Doch als die Hexe zum Ofen schaut' hinein,
ward sie gestoßen von Hans und Gretelein.
Die Hexe mußte braten, die Kinder gehn nach Haus.
Nun ist das Märchen von Hans und Gretel aus.

Uhrenkanon

Melodie und Text: Karl Karow (1790–1863)

Kanon zu 3 Stimmen

Gro - ße Uh - ren ge - hen: tick tack tick tack, klei - ne Uh - ren ge - hen:

tik - ke tak - ke tik - ke tak - ke, und die klei - nen Taschenuh - ren: tik - ke tak - ke tik - ke tak - ke tick!

Es regnet

Melodie: Karl Friedrich Zelter (1758–1832)
Text: Volkstümlich

Kanon zu 4 Stimmen

Es reg - net, wenn es reg - nen will und reg - net sei - nen Lauf, und

wenn's ge - nug ge - reg - net hat, so hört es wie - - der auf.

2mal durchsingen und nacheinander schließen

Ein sehr harter Winter ist

Melodie und Text: Karl G. Hering (1766–1853)

Kanon zu 4 Stimmen

Ein sehr har - ter Win - ter ist, wenn ein Wolf, ein Wolf, ein Wolf den an - dern frißt.

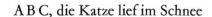

(mdl. überliefert: auch in moll)

A B C, die Katze lief im Schnee

Volkstümlich aus Sachsen
Alter Kinderreim

A B C, die Kat - ze lief im Schnee, und als sie dann nach Hau - se kam, da

A B C, die Kat - ze lief im Schnee, und als sie dann nach

hatt' sie wei - ße Stie - fel an, o je - mi - ne, o je - mi - ne, die Kat - ze lief im Schnee.

Hau - se kam, da hatt' sie wei - ße Stie - fel an, o je - mi - ne, die Kat - ze lief im Schnee.

Satz: E. Klug

47

Zeigt her eure Füßchen

Volkstümliches Spiellied

1. Zeigt her eu - re Füß - chen, zeigt her eu - re Schuh und se - het den flei - ßi - gen Wasch-frau - en zu. Sie wa - schen, sie wa - schen, sie wasch'n den gan - zen Tag, sie wa - schen, sie wa - schen, sie wasch'n den gan - zen Tag.

Satz: W. Gohl

2. Zeigt her eure Füßchen,
zeigt her eure Schuh
und sehet den fleißigen Waschfrauen zu.
Sie wringen, sie wringen,
sie wring'n den ganzen Tag,
sie wringen, sie wringen,
sie wring'n den ganzen Tag.

Laßt uns froh und munter sein

Volkstümlich aus dem Hunsrück

1. Laßt uns froh und mun-ter sein und uns recht von Her-zen freun.

Laßt uns froh und mun-ter sein und uns recht von Her-zen

1.–3. Lu-stig, lu-stig tra-le-ra-la-ra, bald ist Nik-laus-

freun. 1.–3. Lu-stig, lu-stig, tra-le-la-la-ra, bald ist

a-bend da, bald ist Nik-laus-a-bend da.

Nik-laus-a-bend da, bald ist Nik-laus da.

Satz: E. Klug

2. Dann stell ich den Teller auf,
Niklaus legt gewiß was drauf.

3. Niklaus ist ein guter Mann,
dem man nicht genug danken kann.

O Tannenbaum

Melodie: Volkstümlich vor 1800
Text: Joachim A. Zarnack und Ernst Anschütz (um 1820)

1. O Tan - nenbaum, o Tan - nenbaum, wie treu sind dei - ne Blät - ter! Du
grünst nicht nur zur Som-mers-zeit, nein auch im Win - ter, wenn es schneit. O
Tan - nenbaum, o Tan - nenbaum, wie treu sind dei - ne Blät - ter.

2. O Tannenbaum, o Tannenbaum,
du kannst mir sehr gefallen!
Wie oft hat nicht zur Weihnachtszeit
ein Baum von dir mich hoch erfreut!
O Tannenbaum, o Tannenbaum,
du kannst mir sehr gefallen.

3. O Tannenbaum, o Tannenbaum,
dein Kleid will mich was lehren:
die Hoffnung und Beständigkeit
gibt Trost und Kraft zu aller Zeit.
O Tannenbaum, o Tannenbaum,
dein Kleid will mich was lehren.

Stille Nacht, heilige Nacht

Melodie: Franz Gruber (1818)
Text: Joseph Mohr (1818)

1. Stil - le Nacht, hei - li - ge Nacht! Al - les schläft, ein - sam wacht

nur das trau - te hoch - hei - li - ge Paar. Hol - der Kna - be im lok - ki - gen Haar,

schlaf in himm - li - scher Ruh,_____ schlaf in himm - li - scher Ruh!_____

Satz: W. Gohl

2. Stille Nacht, heilige Nacht!
Hirten erst kund gemacht
durch der Engel Halleluja
tönt es laut von fern und nah:
Christ, der Retter ist da!

3. Stille Nacht, heilige Nacht!
Gottes Sohn, o wie lacht
Lieb' aus deinem göttlichen Mund,
Da uns schlägt die rettende Stund',
Christ in deiner Geburt.

O du fröhliche

Sizilianische Volksweise
Text: Johannes Falk (1816)
2. u. 3. Str.: Joh. C. Holzschuher (1829)

1. O du fröh-li-che, o du se-li-ge, gna-den-brin-gen-de Weih-nachts-zeit! Welt__ ging ver-lo-ren; Christ__ ist ge-bo-ren. 1.-3. Freu-e,__ freu-e dich, o Chri-sten-heit.

Satz: W. Gohl

2. O du fröhliche, o du selige,
gnadenbringende Weihnachtszeit!
Christ ist erschienen, uns zu versühnen.

3. O du fröhliche, o du selige,
gnadenbringende Weihnachtszeit!
Himmlische Heere jauchzen dir Ehre.

Ihr Kinderlein, kommet

Melodie: Joh. A. P. Schulz (1747–1800)
Text: Christoph von Schmid (1768–1854)

1. Ihr Kin - der - lein, kom - met, o kom - met doch all! Zur Krip - pe her kom - met in Beth - le - hems Stall, und seht, was in die - ser hoch - hei - li - gen Nacht der Va - ter im Him - mel für Freu - de uns macht.

Satz: W. Gohl

2. Da liegt es, das Kindlein, auf Heu und auf Stroh,
Maria und Joseph betrachten es froh.
Die redlichen Hirten knie'n betend davor,
hoch oben schwebt jubelnd der Engelein Chor.

3. O beugt wie die Hirten anbetend die Knie;
erhebet die Hände und danket wie sie!
Stimmt freudig, ihr Kinder, wer sollt sich nicht freun?
Stimmt freudig zum Jubel der Engel mit ein!

Wer hat die schönsten Schäfchen

Melodie: Joh. F. Reichard (1752–1814)
Text: Hoffmann von Fallersleben (1830)

1. Wer hat die schön-sten Schäf - chen? Die hat der gold - ne Mond, der hin - ter un - sern Bäu – men am Him - mel dro - ben wohnt.

Satz: W. Gohl

2. Dort weidet er die Schäfchen
auf seiner blauen Flur,
denn all die weißen Sterne
sind seine Schäfchen nur.

3. Und soll ich dir eins bringen,
so darfst du niemals schrein,
mußt freundlich wie die Schäfchen
und wie die Schäfer sein.

Die Blümelein, sie schlafen

Melodie: Heinrich Isaak (um 1490)
Zuerst gedruckt 1840

1. Die Blü-me-lein, sie schla-fen schon längst im Monden-schein, sie nik-ken mit den Köpf-chen auf ih-ren Stän-ge-lein. Es_ rüt-telt sich der Blü-tenbaum, er_ säu-selt wie im Traum: Schla-fe, schla-fe, 'schlaf ein, mein Kinde-lein.

Satz: W. Gohl

2. Die Vögelein, sie sangen
so süß im Sonnenschein,
sie sind zur Ruh gegangen
in ihre Nestchen klein.
Das Heimchen in dem Ährengrund,
es tut allein sich kund.

3. Sandmännchen kommt geschlichen
und guckt durchs Fensterlein,
ob irgendwo ein Liebchen
nicht mag zu Bette sein,
und wo er noch ein Kindchen fand,
streut er ins Aug' ihm Sand.

Weißt du, wieviel Sternlein stehen

Volksweise
Text: Wilhelm Hey (1789–1854)

1. Weißt du, wie viel Stern-lein ste - hen an dem blau - en Him-mels - zelt? Weißt du,
wie viel Wol - ken ge - hen weit - hin ü - ber al - le Welt? Gott der
Herr hat sie ge - zäh - let, daß ihm auch nicht ei - nes feh - let an der
gan - zen gro - ßen Zahl,___ an der gan - zen gro - ßen Zahl.

2. Weißt du, wieviel Mücklein spielen
in der heißen Sonnenglut,
wieviel Fischlein auch sich kühlen
in der hellen Wasserflut?
Gott der Herr rief sie mit Namen,
daß sie all ins Leben kamen,
daß sie nun so fröhlich sind.

3. Weißt du, wieviel Kinder frühe,
stehn aus ihren Bettlein auf,
daß sie ohne Sorg und Mühe
fröhlich sind im Tageslauf?
Gott im Himmel hat an allen
seine Lust, sein Wohlgefallen,
kennt auch dich und hat dich lieb.

Bona nox

Kanon zu 4 Stimmen

Melodie und Text: Wolfgang Amadeus Mozart (1804)

Bo - na nox! bist a rech - ter Ochs, bo - na not - te, lie - be
Lot - te; bonne nuit, pfui, pfui, good night, good night, heut' müß' ma no weit, gu - te Nacht, gu - te
Nacht, 's wird höch - ste Zeit, gu - te Nacht, schlaf' fei g'sund und bleib' recht ku - gel - rund!

58

Schlaf, Kindchen, schlaf

Volksweise
Text: Aus ›Des Knaben Wunderhorn‹

1. Schlaf, Kind-chen, schlaf! Der Va-ter hüt't die Schaf, die Mut-ter schüttelt's Bäu-me-lein, da fällt her-ab ein Träu-me-lein. Schlaf, Kind-chen, schlaf!

2. Schlaf, Kindchen, schlaf!
Am Himmel ziehn die Schaf,
die Sternlein sind die Lämmerlein,
der Mond, der ist das Schäferlein.
Schlaf, Kindchen, schlaf!

Ludwig Bemelmans
Madeline
Deutsch von Alfons Barth, Werner Mintosch
und Christian Strich
kinder-detebe 31

Die Diogenes Schulfibel
Herausgegeben von Anne Schmucke
kinder-detebe 32